发现最棒的自己

一天天长大

王坤／著　马亮　肖铮／图

萧瑟的秋风把一粒圆圆的栗子吹落到地上。

一只变色龙朝他的方向爬来，栗子热情地和变色龙打着招呼：“嘿，你好！”

可是栗子的个头太小了，变色龙根本没有注意到他，从他身旁慢慢爬过去了。

一只兔子朝他的方向跑来，栗子热情地和兔子打着招呼：“嘿，你好！”

可是栗子的个头太小了，兔子根本没有注意到他，从他头上轻轻跳过去了。

一只羚羊朝他的方向奔来，栗子热情地和羚羊打着招呼：“嘿，很高兴认识你。”

可是栗子的个头太小了，羚羊根本没有看到他，从他头上轻轻地跃过去了。

一只长颈鹿朝他的方向走来，栗子热情地和长颈鹿打着招呼：“嘿，很高兴见到你。”

可是栗子的个头太小了，长颈鹿根本没有发现他，从他头上缓缓地迈过去了。

一只大象朝他的方向走来，栗子热情地和大象打着招呼：“嘿，很荣幸遇到你。”

可是栗子的个头太小了，大象根本没有瞧见他，从他头上重重地踩过去了。

身小力微的栗子，被深深地踩进了土壤里。

栗子就这样日复一日地被埋在暗无天日的地下。

直到有一天，栗子感觉到自己与以往有些不一样。

栗子再次露出了地面，他尽情享受着阳光的哺育，飞快地长着叶片，抽着枝条。

当再次遇到兔子时，栗子意外地发现，自己的个头竟然长得超过了兔子。

当再次碰到羚羊时，栗子惊讶地发现，
自己的个头竟然长得赛过了羚羊。

当再次邂逅长颈鹿时，栗子意外地发现，自己的个头竟然长得高过了长颈鹿。

栗子越长越高，越长越结实。现在大象就是使出浑身解数也奈何不了他了。

他的花朵为勤劳的蜜蜂和忙碌的蝴蝶提供着花蜜。

他的果实为顽皮的松鼠和淘气的猴子提供着食物。

这颗当初不起眼的栗子，经过阳光的沐浴，雨露的滋养，现如今显示出旺盛的生命力，成为了森林小动物们深深依赖、不可或缺的好伙伴。